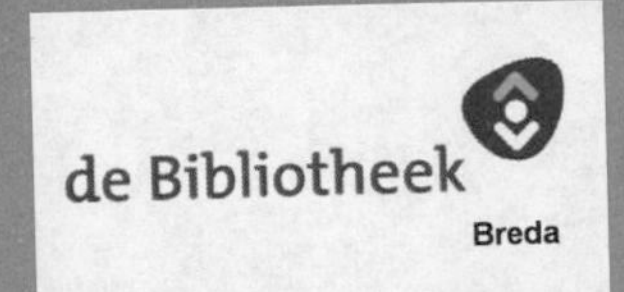
de Bibliotheek
Breda

D0358476

Alles over mijn grappige cavia

KLUITMAN

Hoi cavia, fijn dat je nu bij mij woont!

Je hebt een nieuw vriendje dat vanaf nu bij jou thuis woont.
En daarom is het handig om een paar dingen over hem te weten.
Waar zet je zijn kooi? Wat lust hij graag? Wat is gezond en wat niet?
Het staat allemaal in dit handige en leuke boek.

Inhoud

Cavia's worden niet zo heel oud. De meeste een jaar of 4. Een cavia van 6 of 7 jaar is dus echt bejaard.

Hahahahahahihihahihahaaa...

Lachen!

Op deze pagina kun je een foto van je cavia plakken.

Dit boekje is van ....Ik ben.....jaar.
Dit is mijn adres...
En dit mijn telefoonnummer ....
Mijn cavia heet ....
Het is een jongen/meisje*
Mijn cavia is de allerliefste cavia, want..
Zo herken ik mijn cavia ....

*m/v Op pagina 22 staat hoe je kunt zien of je cavia een jongen of een meisje is.

Aangenaam!

De eerste paar weken moet je cavia eerst wennen. Aan zijn nieuwe huis, zijn nieuwe kooi en aan jou.

De eerste week zit je cavia het liefst veilig in zijn nieuwe kooi. Laat hem lekker zitten. Als je hem tien minuten bij je houdt, is dat genoeg. Dan kan hij langzaam aan jou wennen.
De tweede week zal je cavia wat vaker tevoorschijn komen. Je kunt hem dan een halfuurtje per dag lekker tegen je aan houden om te aaien en te knuffelen. Je merkt vanzelf hoe hij reageert. Zorg wel dat het rustig is in huis, anders schrikt hij.
Is je cavia gewend aan zijn nieuwe huis, dan zal hij zich steeds vaker laten zien.

Klets veel tegen je cavia, dan leert hij jou snel kennen. En herkennen.

Vriendjes en vriendinnetjes

Vriendjes en vriendinnetjes zijn natuurlijk hartstikke nieuwsgierig naar je nieuwe cavia. Toch mogen ze hem niet vasthouden. Tenminste, niet de eerste weken. De cavia moet eerst helemaal aan jou gewend zijn.

Hellup!
Cavia's in het wild leven op de grond. Het zijn kleine beestjes en het gevaar komt meestal van boven. Van roofvogels, van vossen. Pak je cavia daarom nooit van boven, maar altijd van voren. Dan ziet en ruikt hij dat jij het bent. Anders voelt je cavia zich aangevallen en wil hij het liefst snel vluchten.

Zó haal je je cavia uit zijn kooi

Tik eerst een paar keer op zijn kooi en praat zachtjes tegen hem, dan weet je cavia dat jij het bent. Pak je cavia voorzichtig vast onder zijn buik en trek hem zachtjes naar buiten. Met een hand onder zijn billen en de andere hand over zijn lijfje, heb je hem goed vast. Je kunt je cavia zo heel rustig aaien.

Trappelt hij alleen maar?

Zet hem dan terug in zijn kooi. Voelt je cavia zich bij je op zijn gemak? Dan kun je langzaam proberen of hij op schoot wil zitten.

Kletskous

Als je goed luistert, merk je dat je cavia kan praten. Niet echt natuurlijk, maar op zijn 'cavia's'. Je cavia kan namelijk heel veel verschillende geluidjes maken en zo laat hij je merken hoe hij zich voelt. Blij, verdrietig, vrolijk…

Foetsie! Cavia's zijn heel erg snel.
Ze vinden het leuk om weg te rennen. En probeer ze dan maar weer eens te pakken te krijgen.

Villa Cavia

Een cavia woont het liefst in een mooie kooi, maar waar zet je die neer?

Hier wel:

- In het licht, dus het liefst voor het raam. Dan kan je cavia ook lekker naar buiten kijken.
- In een rustig hoekje waar niet steeds iemand vlak langsloopt of tegen de kooi stoot.
- In een kamer waar de temperatuur constant is: niet boven de 25°C en niet onder de 18°C.
- Tegen een muur. Dat geeft je cavia een beschermd en veilig gevoel.
- Met de 'voeten' van de vloer, dus niet op de grond, maar op poten.

Hier niet:

- Naast de verwarming of kachel, dat is veel te warm.
- In de zon, want achter glas wordt het al snel veel te warm.
- Op de tocht.

Je cavia is een knaagdier en hij knabbelt graag aan hout. Heeft jouw cavia een houten hok? Let er dan op dat je een speciale 'niet giftige' verf gebruikt.

Grote kooi
Voor je cavia kan zijn kooi niet groot genoeg zijn. Hij vindt het fijn om lekker te rennen en daar moet hij wel de ruimte voor hebben. Bouw ook een schuilhokje in, daar voelt hij zich veilig en beschut.

Een cavia is een huisdier en een huisdier hoort in huis. Dus niet in de garage of de schuur.

Cavia's hebben geen grote oren, maar wel goede. Ze horen veel beter dan wij. Zet je cavia daarom nooit naast de televisie, naast de computer of naast de deurbel.

Al die gekke geluiden... hij schrikt zich steeds een hoedje! Ook als je hard lacht. Of als de telefoon gaat.

TRiiiiiNG!

Wel eens een cavia met bezem gezien?

Je cavia is geen viespeuk. Hij houdt van een nette en schone kooi. Alleen heeft hij één probleem: hij kan niet soppen en poetsen. En dus zul jij dat voor hem moeten doen.

Hoe? Door elke dag de plekjes waar je cavia veel ligt even goed schoon te maken. Want daar verzamelt je cavia zijn keutels en plas. En om daar in te liggen... bah! Een pluk lekker fris hooi en je cavia is weer blij. Geef je cavia ook elke dag schoon water en voer. De kooi hoef je niet elke dag helemaal schoon te maken. Maar wel 1 x per week. Dan gaan alle vieze kranten eruit en doe je er schone in. Ook het vieze zaagsel en hooi vervang je door nieuw. Mmm, wat ruikt de kamer dan lekker naar dat geurige hooi. Vergeet niet elke week het voerbakje ook goed schoon te maken.
Elke maand krijgt de hele kooi een grote beurt.
Je maakt hem dan goed schoon met water en een beetje allesreiniger. Je kunt bij de dierenwinkel ook speciale kooireiniger kopen.

Kies liever voor een drinkflesje, dan een drinkbakje. In een bakje valt vaak allerlei troep, het water in een flesje blijft lekker schoon.

Tip: Kies een vaste dag voor de wekelijkse kooiklus, dan vergeet je het niet.

Haal ook elke dag even de oude groente weg. Dat is alleen lekker en gezond als het vers is. Ligt het te lang in de kooi, dan gaat het schimmelen en kan je cavia er ziek van worden.

Is je cavia ziek geweest? Dan is het extra belangrijk om de kooi heel goed schoon te maken.

Mjam, mjam, mjam

Jouw cavia is een slim beest. En een lekkerbek!

Wat gebeurt er als hij de koelkast hoort? Precies, dan begint hij te piepen. En wat doet hij als hij dat zakje hoort kraken? Ook dan piept hij. Dat is geen toeval. Jouw cavia piept omdat hij weet dat er iets lekkers tevoorschijn komt. Groente uit de koelkast of een caviasnoepje uit het krakende zakje. Mjam!

Groenvoer

Groente en fruit. Je cavia is er dol op. En het is hartstikke gezond voor hem, dus geef het gerust elke dag een keer of drie. Alle soorten zijn geschikt, al zal hij misschien niet alles even lekker vinden. Cavia's zijn echte fijnproevers!

Ezelsbruggetje: C van Cavia!

Niet vergeten! Je cavia heeft vitamine C nodig. Elke dag! Er is speciaal hardvoer met vitamine C te koop, maar je kunt natuurlijk ook apart vitamine C-korrels of -druppels geven.

'Ik lust geen worteltjes'

Wat de ene cavia niet lust, vindt de andere juist lekker. Smaken verschillen. Wat die van jou graag lust, merk je vanzelf. Waarschijnlijk smult hij van een stukje witlof of andijvie. En misschien wat minder van appel? Dat komt omdat de meeste cavia's gekker zijn op bitter dan op zoet.

Je cavia is een knaagdier en wil dus graag knabbelen. Pitjes, nootjes, zaadjes... Geef hem hardvoer voor cavia's en vul zijn bakje 2 x per dag bij, dan heeft hij de hele dag door wat te knabbelen. Je cavia bijt ook graag op wilgentakken of takken van een appelboom. Staan die niet in je tuin? Bij de dierenwinkel verkopen ze speciale knaagdingen voor cavia's.

Hooi is gedroogd gras en dus ook groenvoer. Je cavia vindt het lekker om in te liggen, maar ook om op te knabbelen. Elke dag een flinke pluk vers hooi is erg belangrijk.

Tip

Een cavia kan kleuren zien. Geel, blauw en rood, maar ook oranje en groen. Handig, want zo herkent hij een tomaat onmiddellijk. En een stukje komkommer ook.

Klaar voor de start...

Je cavia is een sportief beestje. Hij rent en ravot graag. En het allerleukst vindt hij het als jij een sportschool voor hem bouwt.

Geen Gechte natuurlijk, maar een soort speeltuin in zijn ren. Met lange plastic pijpen waar hij doorheen kan kruipen en blokken waar hij op kan klauteren. Ook plastic bloempotten met gaatjes zijn een groot succes. Leg er maar eens een snoepje onder... Zorg er natuurlijk wel voor dat alles veilig is. Dat hij niet vast kan komen te zitten.

Omdat je cavia zo graag rent, is een ren belangrijk. Hij moet er elke dag lekker in kunnen bewegen. Liefst buiten, in de frisse lucht. Als het natuurlijk niet te koud en te vochtig is.

Je cavia vindt het leuk om nieuwe dingen te ontdekken. Daar kun jij voor zorgen door steeds nieuwe speeltjes te verzinnen. Je kunt bijvoorbeeld elke dag een snoepje verstoppen. In een leeg yoghurtpak bijvoorbeeld (wel eerst goed schoonmaken!) of onder een lege schoenendoos. Daar is hij uren zoet mee.

Zijn beste vriend ben jij!
Cavia's leven in het wild in groepen. En daarom houden ze heel erg van gezelligheid. Aandacht? Hij krijgt er geen genoeg van en als jij hem elke dag vertroetelt en verzorgt, dan ben jij vast en zeker zijn beste vriend.

Is je cavia al een jaartje ouder? Dan wordt hij steeds een beetje trager. En omdat hij minder beweegt, heeft hij ook minder trek. Toch heeft hij wel genoeg voedingsstoffen nodig om gezond te blijven. Vraag in de dierenwinkel welk eten je 'opa-cavia' het beste kunt geven.

Sporten = gezond
Voor mensen én voor cavia's. Als je cavia veel beweegt voelt hij zich fitter en fijner. Bovendien wordt hij niet te dik. Jonge cavia's moeten veel bewegen om sterke botten en spieren te krijgen.

Ik moet poepen

'Te koop: caviakooi met wc'. Hoe handig dat ook lijkt, je hebt er helemaal niets aan. Cavia's poepen en plassen namelijk gewoon in hun kooi.

Rollen wc-papier hoef je ook niet te kopen, want hij veegt zijn billen niet af. Vies? Nee hoor. De keutels van een cavia laten meestal geen sporen na, omdat ze droog en hard zijn. En is zijn kont toevallig wel een keertje vies, dan spoel je die gewoon schoon met een beetje handwarm water. Hoe? Doe een laagje handwarm water in een wastafel, ondersteun het lijfje van je cavia met je ene hand en gebruik je andere hand om de billen van je cavia schoon te spoelen. Gebruik geen zeep of shampoo, daarvan krijgt je cavia jeuk. Dep zijn vacht zachtjes en voorzichtig droog met een schone doek.

Scheetje-Weetje

Wist je dat een cavia geen scheten kan laten? En ook geen boeren?

Poep = lekker!

Je cavia is best een rare. Hij eet soms zijn eigen poep op! Er zijn wel meer dieren die dat doen en met een moeilijk woord heet dat: coprofagie. Waarom dieren hun eigen poep opeten, weten we niet precies, maar waarschijnlijk zitten er vitaminen in die je cavia nodig heeft om gezond te blijven. Lekker laten eten dus.

Zien de keutels van je cavia er anders uit dan anders? Dan kan dat komen doordat hij ander voedsel heeft gegeten. Is dat niet zo? Dan kan er iets met je cavia aan de hand zijn, maar meestal merk je dat ook wel aan andere dingen. Dat hij wat slomer is. Of veel meer drinkt dan anders. Bel als je ongerust bent gewoon even de dierenarts.

Spiegeltje, spiegeltje...

Wie is de mooiste cavia van het land?
Die van jou natuurlijk!
Als je hem tenminste goed verzorgt.

Naar de kapper

Je cavia hoeft nooit naar de kapper. Shampoo? Ook niet nodig. Maar hij wil wel graag worden geborsteld. Bij de dierenwinkel koop je een speciale borstel. Borstel altijd voorzichtig met de richting van de haren mee, anders doe je hem pijn. Langharige cavia's moet je elke dag borstelen. Dat houdt de vacht mooi. Borstel je niet elke dag, dan wordt het borstelen steeds lastiger omdat de vacht gaat klitten en er strootjes en andere dingen in vast blijven zitten.
Heb je een kortharige cavia, dan hoef je niet elke dag te borstelen, maar wel regelmatig. Aai je kortharige cavia wel elke dag, dan verzorg je zijn vacht ook.

Naar de manicure
Worden de nagels van je cavia te lang? Dan moeten ze worden geknipt. Je kunt proberen om dat heel voorzichtig zelf te doen. Als je elke keer als je je cavia op schoot hebt, ook even zijn nageltjes bekijkt, is dat voor hem al snel gewoon. En zal het knippen vrij makkelijk gaan. Als je het niet durft, kun je het ook de dierenarts laten doen.

Naar de tandarts

De tanden van je cavia groeien! Echt waar! Maar lange tanden zijn niet handig. Dan kan hij niet meer goed bijten. En daar heeft de cavia iets op gevonden: knagen. Door te knagen slijpt hij zijn tanden, zodat ze niet te lang worden. Zorg daarom altijd dat er iets te knagen en te knabbelen valt. Zijn zijn tanden per ongeluk toch gegroeid? Dan slijpt de dierenarts er een stukje af.

Voetjes van de vloer

Cavia's staan het liefst met beide benen op de grond. Optillen vinden ze geen feest. Dus: als je hem optilt, doe het dan wel goed. En het liefst heeeeel langzaam.

Pak je cavia nooit van boven, maar altijd van voren. Schuif je ene hand onder zijn voorpoten en je andere hand onder zijn achterlijf. Zijn achterpoten rusten op je hand. Zo ondersteun je zijn hele lichaam. Dat vindt je cavia het fijnst, dus zal hij niet zo snel gaan tegenspartelen.

Parachute nodig

Zet een cavia nooit op een tafel, het aanrecht of iets anders hoogs. Hij loopt er zo van af en valt dan. Dat komt omdat een cavia van nature niet gewend is aan hoogtes en daardoor niet zo goed ziet hoe diep of hoe hoog iets is.

Til je cavia nóóit bij zijn nekvel. Dat is niet goed voor zijn lichaam en je cavia wordt er ook heel angstig van. Omdat hij dan denkt dat hij door een roofdier is gevangen.

Leg je arm op de vloer en je cavia zal zelf van je hand af gaan. Moet je je cavia een eindje dragen? Buig dan je onderarm en houd hem zo dicht mogelijk tegen je borstkas aan. Dat geeft je cavia een veilig gevoel. Je andere hand kun je voorzichtig op de rug van je cavia leggen.

Gebruik altijd beide handen, als je je cavia tilt of draagt.

Over piemels en zo

Jongens hebben piemels, meisjes niet. Bij mensen is dat makkelijk te zien. Bij cavia's moet je soms even zoeken... Helemaal als ze nog baby zijn.

Caviajongens heten beertjes en caviameisjes heten zeugjes. Volwassen beren hebben net als mensen een piemel (een stipje of bultje) en ballen, bij een zeug zie je een Y-vormige opening. Je kunt het pas zien, als je cavia een week of vier is. En dan moet je nog erg goed je best doen, want je cavia laat zich niet zo makkelijk tussen zijn pootjes kijken. Geef hem eens ongelijk!

Nieuwsgierig?

Ben je erg nieuwsgierig? Dan kun je het volgende proberen. Ga met je cavia op een stoel zitten met een krukje onder je voeten, zodat je knieën omhoog komen. Er ontstaat een soort hellinkje. Ligt je cavia lekker? Draai hem dan heel langzaam en heel voorzichtig op zijn rug. Met een beetje geluk kun

je zien of het een jongetje
of meisje is. Lukt het niet?
Dat ligt niet aan jou, want
het is bij een cavia lastig te
zien. Je kunt het natuurlijk
wel aan de
dierenarts vragen,
als je daar een
keer bent.

Is je cavia geboren bij een caviafokker?
En zegt hij dat het een meisje is? Geloof hem dan
maar, want als er iemand is die het kan weten...
Hij heeft al zo veel beertjes en zeugjes gezien!

Zo verliefd!

Als een cavia verliefd is, neemt hij geen rode rozen mee. Een beer laat op een andere manier zien dat hij een zeugje leuk vindt.

Hoe? Door heel lang om haar heen te drentelen en ondertussen met zijn kont te draaien. Alsof hij wil zeggen: 'Kijk eens wat een mooie billen ik heb!' Hij loopt zich echt uit te sloven door ook nog eens heel hoog op zijn poten te gaan staan en haar zachtjes aan te raken. Een dan zingt hij nog een serenade ook! Door heel lang rrrrrrrrrr te doen. Dat geluid komt helemaal achter uit zijn keel en klinkt een beetje brommerig. Is zij ook verliefd op hem? Dan gaan ze vrijen en dan komen er jonkies.

Op kraamvisite

Als een zeugje jonkies krijgt, dan is ze drachtig. Dat zie je aan haar buik. Die wordt voller en dikker. Een zeugje is 65 tot 70 dagen zwanger, maar pas de laatste 3 weken kun je het zien. Meestal krijgt een caviavrouwtje 2 tot 4 jonkies. Die drinken moedermelk, maar ze eten ook al meteen hooi en ander voer. Dat is bij mensenbaby's wel anders.

Wegwezen. Vindt het zeugje de beer maar niks, dan laat ze dat merken ook. Ze tettert dan dat hij snel weg moet wezen. Te-te-te-te-te... En soms klappert ze zelfs met haar tanden! Of ze maakt zich heel snel uit de voeten en rent hard weg.
Is de boodschap nog steeds niet duidelijk?
Dan krijgt hij gewoon een draai om zijn oren!

Vlo & co

Je cavia kan last krijgen van allerlei beestjes. Kriebelbeestjes om precies te zijn.

Vlooien lusten geen cavia's. Dus dat komt mooi uit.
Af en toe verdwaalt er natuurlijk wel een vlo, maar die is vaak zo weer weg als je een paar tenen knoflook in het hok legt. Daar houden vlooien helemaal niet van.
Luizen komen wel bij cavia's voor. Die kun je gewoon zien. Ze huppelen vrolijk over het lijf van je cavia, maar bij de ogen en op de rug van je cavia vinden ze het het fijnst. De luizen leggen eitjes. Die noemen we neten. Heeft je cavia neten, dan is de kans groot dat ze achter zijn oor zitten vastgeplakt.
Ga er niet zelf aan peuteren, maar ga naar de dierenwinkel om een speciaal middeltje te halen. Dan hoeft je cavia niet meer zo te kriebelen en te krabbelen.

Bzzzzz

Vliegen zijn dol op warmte. En als in de zomer de temperatuur in de kooi van je cavia stijgt, dan leggen vliegen er graag eitjes in. Daarom is het belangrijk om 's zomers de kooi extra vaak schoon te maken. En om de billen van je cavia goed schoon te houden, want als er poeprestjes aan kleven komen er vliegen op af.

Vakantieganger

Ga je op vakantie? Zorg dan dat je cavia bij iemand kan logeren. Natuurlijk kies je iemand die goed voor hem zorgt. En het handigst is het als jij dan een soort gebruiksaanwijzing maakt!

Wat vindt je cavia lekker? Wat mag hij niet? En wat wel? Wat vindt je cavia leuk? Hoe til je je cavia op? Wanneer maak je zijn kooi schoon?

En hoe doe je dat precies? Alles wat je over je cavia weet, kun je opschrijven in een schrift. Dat is handig voor degene die op hem past. Die weet dan precies wat hij moet doen.

Zo heeft je cavia ook een fijne vakantie! Breng je cavia nooit naar mensen die er een beetje bang voor zijn. Die gaan je cavia niet aaien en knuffelen en dat zal je cavia dan heel erg missen.
Het is ook slim om je cavia alle vertrouwde speeltjes en spulletjes mee uit logeren te geven. Dan heeft hij het gevoel of hij toch een beetje thuis is, bij jou.
En vergeet je niet een briefje in de koffer van je cavia te doen met daarop je vakantieadres en je 06-nummer?

Cavia op reis

Bij veel kinderboerderijen kunnen cavia's ook een tijdje logeren. Er wordt dan goed voor hem gezorgd. In sommige plaatsen zijn ook knaagdieren- en/of caviapensions. Regel wel op tijd een plekje, want deze pensions zitten snel vol.

Alles over mijn
grappige cavia
KLUITMAN
Alles over mijn
speelse puppy
KLUITMAN
Alles over mijn
spinnende poes
KLUITMAN
Alles over mijn
spetterende goudvis
KLUITMAN